Collection dirigée par Philippe Nessmann

Texte "Et si, un jour..." : Élisabeth de Lambilly-Bresson
Iconographie : Véronique Masini / ÉcoutezVoir
Maquette : Studio Mango

Kézako ?

L'eau

Texte de Charline Zeitoun
Illustrations de Peter Allen

MANGO *JEUNESSE*

L'eau remplit les océans, les ruisseaux
et les rivières. Elle coule du robinet ou tombe
en gouttes de pluie : que d'eau ! que d'eau !
Mais comment les bateaux flottent-ils dessus ?
Pourquoi l'eau gelée est-elle si dure ?
Comment les fleurs se procurent-elles de l'eau
quand il ne pleut pas ? Lis attentivement
ce livre, réalise les expériences qui y sont
proposées et le précieux liquide n'aura plus
de secret pour toi !

L'EAU, C'EST QUOI ?

L'eau prend toutes les formes. Verses-en dans une gourde, elle en prend la forme. Essaie maintenant de faire rentrer un rocher dans ta bouteille : ça ne marche pas ! C'est parce que l'eau est un liquide et le rocher un solide.

Il te faut :
- un paquet de sucre en poudre
- un verre à moutarde
- un verre à vin

1 Verse du sucre au fond du verre à moutarde. Le sucre prend-il la forme du verre ?

2 À présent, verse le sucre dans le verre à vin. Quelle forme prend-il ?

Le sais-tu ?

Les molécules sont des grains de matière si petits qu'on ne peut pas les voir. L'eau, le sucre, le chat de la voisine et même toi, tout est composé de molécules.
Il en existe de différentes sortes. La molécule d'eau a une forme qui fait penser à une tête de Mickey.

3 Plonge ton doigt dans le sucre. Que font les grains ?

Le sucre prend la forme des verres. Et lorsque tu plonges un doigt dedans, les grains s'écartent. As-tu remarqué que c'est la même chose pour l'eau ? Versée dans un récipient, elle en prend la forme. C'est parce qu'elle est, elle aussi, composée de petits grains invisibles à l'œil nu. On les appelle des molécules. Comme les grains de sucre, les molécules d'eau glissent les unes sur les autres pour s'adapter à la forme des récipients. Et elles s'écartent pour te laisser entrer dans ton bain !

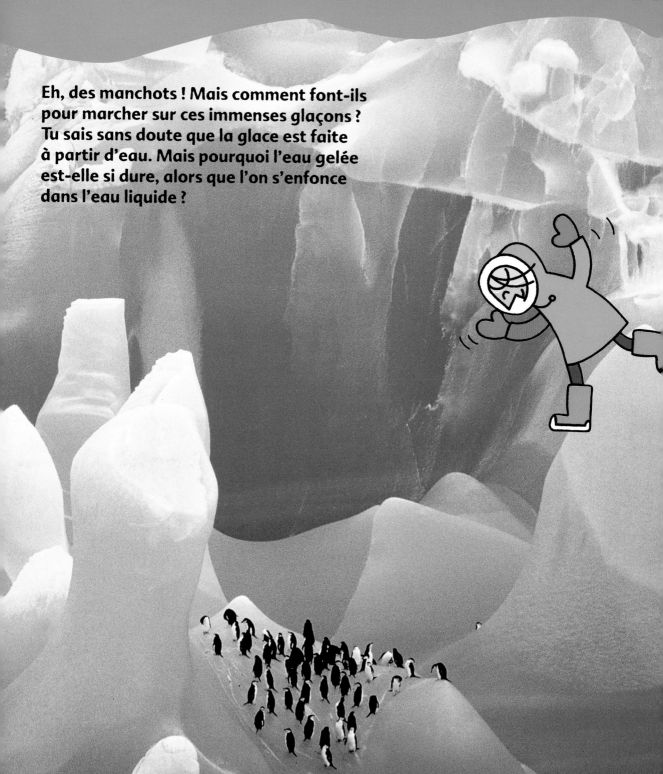

Eh, des manchots ! Mais comment font-ils
pour marcher sur ces immenses glaçons ?
Tu sais sans doute que la glace est faite
à partir d'eau. Mais pourquoi l'eau gelée
est-elle si dure, alors que l'on s'enfonce
dans l'eau liquide ?

IERRE !

Réalise une main en glace

Il te faut :
- un gant de vaisselle
- quatre pinces à linge

1 Remplis le gant avec de l'eau.

2 Plie le bord du gant, puis replie-le encore. Avec les pinces à linge, pince le bord du gant.
Vérifie qu'il est bien fermé et que l'eau ne s'en échappe pas.

3 Place le gant au congélateur. Attends toute la nuit puis sors-le.

À ton avis ?
En dessous de quelle température l'eau se transforme-t-elle en glace ?
A. 0°C
B. 37°C   (degré Celsius)
C. 100 °C

4 Trempe le gant dans de l'eau tiède pendant quelques secondes. Enlève les pinces et démoule le résultat. Qu'obtiens-tu ?

Réponse A. L'eau gèle en dessous de 0°C. 100°C est la température à laquelle l'eau se met à bouillir.

Une main en glace ! Si tu as fait l'expérience de la page 5, tu sais que l'eau est un liquide. Lorsque tu la verses dans le gant, elle en prend la forme. Mais pourquoi la garde-t-elle maintenant ? Parce que, dans le congélateur, il fait si froid que l'eau se transforme en glace. Les molécules d'eau s'attachent alors très solidement entre elles, un peu comme les grains de sucre dans un morceau. Maintenant, l'eau est devenue un solide. Tu ne peux plus enfoncer ton doigt dedans. La glace garde la forme du gant même si on la glisse dans une… chaussette !

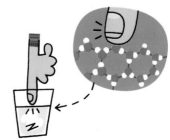

LA GLACE QUI GROSSIT

Il y a longtemps, ce bateau naviguait vers le pôle Nord. Lorsque l'hiver est arrivé, la mer a gelé. Or, quand l'eau se transforme en glace, elle gonfle. Le voilier a alors été écrasé par la banquise. Il a ensuite coulé.

Déforme une bouteille... sans y toucher !

Il te faut :
- deux bouteilles d'eau non gazeuse en plastique et identiques.

1 Remplis les deux bouteilles d'eau à ras bord, puis ferme-les. Observe-les. Ont-elles la même forme ?

2 Mets l'une des bouteilles u congélateur pendant ute une nuit.

3 Sors la bouteille du congélateur. Compare à nouveau les deux bouteilles. Ont-elles toujours la même forme ?

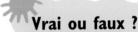

Vrai ou faux ?
Lorsque l'eau se transforme en glaçon, elle a besoin de plus de place. À l'inverse, lorsque la glace fond, elle a besoin de moins de place.

Réponse : Vrai. Observe la bouteille remplie de glace. Lorsque la glace se réchauffe, elle se dégonfle et la bouteille reprend sa forme de départ.

a bouteille du congélateur est toute déformée ! on fond est si gonflé qu'elle ne tient presque lus debout ! Si tu as fait l'expérience de la age 7, tu sais que pour se transformer en glace, es molécules d'eau s'accrochent entre elles. Mais pas n'importe comment : elles se mettent n rond. Or, au milieu du rond, il y a un grand space vide. Résultat : en gelant, les molécules d'eau occupent eaucoup plus de place. La glace a donc besoin d'un récipient lus grand. Voilà pourquoi elle déforme la bouteille. arfois, ça fait même se déchirer l'étiquette !

DE L'EAU DANS L'AIR

Ce gros nuage est rempli d'eau.
Elle vient des mers. Lorsqu'il fait chaud,
l'eau des océans s'évapore et s'élève
dans l'air, un peu comme dans
l'expérience qui suit. Quand les nuages
sont remplis de vapeur d'eau, elle se
transforme en gouttes qui tombent
par terre. C'est la pluie.

Fabrique un petit nuage

Il te faut :
- une casserole avec un peu d'eau au fond
- une feuille de papier noir
- une cuillère à soupe

1 Demande à un adulte de faire chauffer la casserole d'eau sur la cuisinière. Au bout de cinq ou dix minutes, tu dois voir des petites bulles remonter à la surface.

2 Demande à un adulte de tenir la feuille noire derrière la casserole. Que vois-tu ?

3 Tiens la cuillère au-dessus de la casserole. Des gouttes d'eau apparaissent-elles sur la cuillère ?

Sur le dessin n°2, il y a de la fumée au-dessus de la casserole ! C'est de la vapeur d'eau, une sorte de petit nuage qui flotte dans l'air. L'eau prend cette apparence quand on la chauffe. Ses molécules se détachent alors

complètement les unes des autres. L'eau ne coule pas comme un liquide et n'est pas dure comme un solide (souviens-toi de la glace !). Elle ressemble maintenant à l'air : c'est devenu un gaz. Lorsque ce gaz se cogne contre la cuillère, il redevient liquide et forme des gouttes.

DU SEL DANS L'EAU DE MER

Que fait ce monsieur avec son râteau ?
Il récolte du... sel. Si tu as déjà bu
la tasse, à la mer, tu sais qu'elle est
salée. Lorsque l'eau de mer s'évapore,
il reste du sel que l'on peut manger.

Il te faut :
- Un verre rempli à moitié d'eau et un autre vide
- Un filtre à café
- Une cuillère à café de sel
- Une cuillère en bois
- Une poêle

1 Verse la cuillère à café de sel dans le verre d'eau. Tourne avec la cuillère pendant quelques minutes.

2 Mets le filtre à café dans le deuxième verre et verse l'eau du premier verre. Regarde comme elle est transparente !

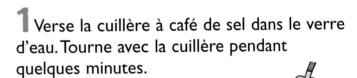

3 Demande à un adulte de faire bouillir cette eau dans une poêle. Elle doit complètement disparaître.

4 Que vois-tu apparaître au fond de la poêle ? Racle avec la cuillère en bois et goûte.

Lorsque tu verses du sel dans l'eau, il se dissout. Même si tu ne le vois plus, il est toujours là. Goûte l'eau et tu verras ! Ensuite, quand tu fais bouillir cette eau, elle s'évapore et part dans les airs. Le sel contenu dans l'eau, lui, ne parvient pas à s'envoler. Il reste dans la poêle. À la fin, il n'y a plus du tout d'eau dans la poêle, juste le sel.

PLUS LÉGER QUE L'EAU

Pouah, une marée noire !
Un pétrolier a coulé en pleine mer.
Le pétrole qu'il transportait s'est échappé.
Curieusement, il ne se mélange pas avec l'eau.
Ce pétrole flotte à la surface, un peu comme un
matelas pneumatique. C'est parce qu'il est plus
léger que l'eau.

Fais flotter de l'huile sur de l'eau

Il te faut :
- une règle de 30 cm
- deux crayons de papier
- deux gobelets en plastique
- un verre
- de l'huile
- de l'eau

1 Remplis à moitié un gobelet avec de l'huile. Dans le deuxième gobelet, verse de l'eau pour que le niveau soit le même que dans le gobelet d'huile. Demande à un adulte de vérifier avec la règle.

2 Pose les deux crayons à plat sur la table, l'un contre l'autre. Place la règle dessus, pour qu'elle soit en équilibre. Le centre de la règle doit être au milieu des deux crayons. Tu viens de fabriquer une balance.

3 Pose doucement, et en même temps, un gobelet à chaque extrémité de la règle. De quel côté se soulève-t-elle ?

4 Dans le verre, verse le contenu des deux gobelets. Et regarde bien…

Le sais-tu ?
Si tu as de la crème liquide, du sirop d'érable ou du miel liquide, verses-en un peu dans le verre rempli d'eau et d'huile. Que se passe-t-il ? Sais-tu pourquoi ?

Réponse : elle/il coule au fond du gobelet. C'est parce que sa densité est plus grande que celle de l'huile, et plus grande que celle de l'eau.

La règle de ta balance se soulève du côté de l'huile. Donc, à quantités égales, l'huile est plus légère que l'eau. On dit que sa densité est plus petite. Ensuite, lorsque tu verses les deux liquides dans le verre, l'huile flotte sur l'eau. C'est normal, puisqu'elle est plus légère. Le pétrole flotte sur la mer car, comme l'huile, sa densité est plus petite que celle de l'eau.

UN POIDS LOURD QUI FLOTTE

Ce beau navire en acier est beaucoup plus lourd que la tour Eiffel. Si on plongeait la tour dans la mer, elle coulerait. Le bateau, même s'il est plus lourd, flotte. Pourquoi ? À cause de sa forme.

Il te faut :
- de la pâte à modeler
- un évier rempli d'eau

1 Pose délicatement la boule de pâte à modeler sur l'eau. Coule-t-elle ?

2 Repêche la boule. Fabrique un petit bateau avec un fond bien plat et des bords bien hauts, un peu comme un moule à tarte. Pose-le délicatement sur l'eau. Que se passe-t-il ?

Le bateau flotte ! Alors pourquoi la boule coule-t-elle ? L'eau pousse sur les objets comme un ressort : on appelle ça la pression. En boule, la pâte à modeler ne repose que sur un seul « ressort ». L'eau n'exerce sa pression qu'à un seul endroit et n'arrive pas à la soutenir. Alors la boule s'enfonce un peu, puis l'eau la recouvre et finit par la faire couler. En forme de bateau, le poids de la pâte à modeler s'étale sur plusieurs « ressorts ». L'eau exerce sa pression à différents endroits. Ainsi, elle arrive mieux à la soutenir. Du coup, la pâte à modeler s'enfonce moins et, grâce aux bords du bateau, l'eau ne la recouvre pas. Pour flotter, la forme, ça compte !

**Dans l'évier rempli d'eau, pose délicatement un verre vide. Il s'enfonce, mais pas complètement. La pression de l'eau le soutient.
En appuyant un peu sur le verre, tu peux sentir les « ressorts » de l'eau : hop ! il remonte !
Mais si tu appuies trop, l'eau rentre dans le verre qui s'alourdit et coule.**

DE L'EAU DANS TON CORPS

Drôle d'animal ! Le corps de cette méduse contient plus de 90 % d'eau. Si on faisait sécher une méduse de 10 kg, elle pèserait moins de 1 kg.

Vérifie qu'une pomme contient de l'eau

Il te faut :
- une pomme
- deux tranches de pain de mie
- un four micro-ondes ou un four traditionnel
- deux crayons de papier
- une règle de 30 centimètres

1 Coupe la pomme en deux moitiés égales. Demande ensuite à un adulte de t'aider. Il faut chauffer une moitié de pomme et une tranche de pain trois minutes dans le four micro-ondes, ou trente minutes dans un four traditionnel.

2 Demande à un adulte de sortir les aliments du four. Attends qu'ils refroidissent. Observe-les : ont-ils changé d'allure ?

3 Avec les crayons et la règle, fabrique une balance comme celle de la page 15. Pose une moitié de pomme de chaque côté. Laquelle est la plus lourde ? Remplace les pommes par les tranches de pain. Laquelle est la plus lourde ?

La moitié de pomme qui sort du four est toute fripée et plus petite que l'autre. Le pain est devenu tout dur. Quand tu les pèses, tu vois qu'ils sont plus légers. Que s'est-il passé ? Les aliments contiennent de l'eau. En les chauffant dans le four, leur eau s'évapore : elle quitte la pomme et le pain pour se transformer en vapeur qui flotte dans l'air. Voilà pourquoi ils ont tant maigri !

À ton avis ?

Dans ton corps, il y a autant d'eau que...

A. Dans un verre d'eau ?
B. Dans une grande bouteille d'eau ?
C. Dans dix grandes bouteilles d'eau ?

Réponse : C. Il y a dans ton corps environ 15 litres d'eau !

BOIRE AVEC SES RACINES

Ce baobab est surnommé arbre bouteille. Et il en a la forme ! Il vit dans des régions où il ne pleut pas beaucoup. Mais ce n'est pas grave : il y a de l'eau dans le sol. Avec ses racines, il la puise et la garde dans son tronc.

Change la couleur des fleurs...

Qui suis-je ?

Je suis un endroit où il y a très peu d'eau. Puisque les plantes, les animaux et les hommes ne peuvent vivre sans eau, ils y sont très rares. Je suis recouvert de sable et de pierres.

Réponse : le désert.

Il te faut :
- deux fleurs blanches (demande au fleuriste des fleurs qui ont besoin de beaucoup d'eau)
- une cartouche d'encre bleue
- une cartouche d'encre rouge
- un stylo-plume
- deux verres

1 Remplis les verres avec de l'eau jusqu'à la moitié.

2 Enfonce la cartouche d'encre bleue dans le stylo pour la percer. Enlève-la et, en appuyant dessus, verse l'encre dans un verre.

Perce la cartouche rouge et verse-la dans le deuxième verre.

3 Coupe la tige des fleurs afin qu'elles soient de la hauteur des verres. Mets une fleur dans chaque verre. Place-les sur un radiateur ou dans un endroit chaud pendant quelques heures. Qu'observes-tu ? Que se passe-t-il ?

Surprise ! La fleur mise dans l'eau bleue devient bleutée ! Et les pétales de l'autre sont roses. Pourquoi ? Parce que les fleurs boivent en utilisant leur tige comme une paille. L'eau colorée remonte alors jusqu'aux pétales et leur donne leur jolie teinte. Dans la nature, elles ont des racines plantées dans le sol. Grâce à elles, elles aspirent l'humidité de la terre qui remonte dans leur tige. Ainsi, elles survivent même lorsqu'il ne pleut pas.

Et si, un jour,
l'eau disparaissait de la surface de la Terre...

Ce matin, Chloé se réveille de fort méchante humeur. Elle traîne les pieds jusqu'à la cuisine, ouvre le réfrigérateur et s'empare d'une bouteille de lait. Mais là, stupeur, il n'y a qu'un petit tas de poudre blanche !
— Encore une blague de mon imbécile de frère !
Drôle de farce car même les jus de fruits ont disparu, tout est à sec !

Furieuse, Chloé va dans la salle de bains.
— Mais que se passe-t-il encore ?
Elle a beau tourner les robinets, pas le moindre filet d'eau. Impossible de faire sa toilette !

— Ben, t'en fais une tête ce matin ! lui dit Jules sur le chemin de l'école. Regarde, le soleil brille et il n'y a pas un nuage dans le ciel. En effet, l'air est très sec. Dans le square, les feuilles des arbres flétrissent déjà et les fleurs des massifs piquent du nez.

La maîtresse explique à toute la classe stupéfaite que les lacs et les rivières sont à sec et que, à la place des océans, se trouvent d'immenses tas de sel.
Rien qu'à l'entendre, Chloé meurt de soif.
— Bah ! On boira à la cantine, lui dit Jules, optimiste.

Mais le déjeuner est immangeable !
La viande est dure comme du bois, le pain est rassis, les fruits sont flétris et la salade ressemble à des feuilles de papier.
— Je ne savais pas que les aliments contenaient autant d'eau ! dit Jules, étonné.

Chloé a la gorge serrée.
— Mais c'est horrible, on a tous besoin d'eau pour être en bonne santé.
Sans eau, nous ne pouvons pas vivre plus de quelques jours.

— CHLOÉ, CHLOÉ!
— Quoi, qu'est-ce qu'il y a ?
— Pour demain, tu me copieras cent fois : « Je ne dois pas somnoler en classe », dit sévèrement la maîtresse.
— D'accord, mais, s'il vous plaît, est-ce que je peux aller tout de suite boire un verre d'eau ?

Crédit photographique